For SATB Choir With Piano Accompaniment

Arranged by Berty Rice

Cover design by Miranda Harvey
Printed in the United Kingdom

Novello Publishing Limited
8-9 Frith Street London W1D 3JB

Angel Eyes

Words by Earl Brent Music by Matt Dennis
arr. Berty Rice

7
gain - in' no ground be - cause my An - gel Eyes ain't here.
gain - in' no ground be - cause my An - gel Eyes ain't here.
gain - in' no ground be - cause my An - gel Eyes ain't here.
gain - in' no ground be - cause my An - gel Eyes ain't here.
10
An-gel Eyes that old de - vil sent,
An-gel Eyes that old de - vil sent,
An-gel Eyes that old de - vil sent,
An-gel Eyes that old de - vil sent,
Dm
E7(♭9)
Dm/F
B♭7
mp
quasi pizz.

12
they glow un - bear - ab - ly bright.
Need I say that
they glow un - bear - ab - ly bright.
Need I say that
they glow un - bear - ab - ly bright.
Need I say that
they glow un - bear - ab - ly bright.
Need I say that
Dm
Bm7(♭5)
Em7(♭5)
A7
Dm
E7(♭9)
15
my love's mis - spent,
mis - spent with An - gel Eyes to - night
my love's mis - spent,
mis - spent with An - gel Eyes to - night
my love's mis - spent,
mis - spent with An - gel Eyes to - night
my love's mis - spent,
mis - spent with An - gel Eyes to - night
Dm/F
G9
E7(♭5)
A aug

17
So drink up all you peo - ple,
N.C.
Dm7
Cm9
F7(♭9)
Dm7
Gm7
RH
20
or - der an-y-thing you see.
Have fun, you hap-py
Cm9
F7(♭9)
Dm7
Gm7
Bm9
E7

23
dim.
people, the drink and the laugh's on me.
C♯m7 F♯m7 D♯m7 G♯7 Em7 A7
RH
26
mf
Pardon me, but I gotta run,
Dm E7(♭9) Dm/F B♭7
mp

28
the fact's un-com-mon-ly clear.
Got-ta find who's
Dm
Bm7(♭5)
Em7(♭5)
A7
Dm
E7(♭9)
31
now "Num-ber One" and why my An-gel Eyes ain't here.
Dm/F
G9
E7(♭5)
Aaug

33
mp legato
So drink up all you peo - ple,
So drink up all you peo - ple, peo - ple,
So drink up all you peo - ple, peo - ple,
So drink up all you peo - ple, peo - ple,
N.C.
3

36
or - der an - y - thing you see.
Have fun, you hap-
(you see)

39
peo - ple, the drink and the laugh's on me.
peo-ple, peo-ple, the drink and the laugh's on me.
peo-ple, peo-ple, the drink and the laugh's on me.
peo-ple, peo-ple, the drink and the laugh's on me.
42
mf
Par-don me, but I got-ta run, the fact's un-com-mon-ly clear.
mf
Par-don me, but I got-ta run, the fact's un-com-mon-ly clear.
mf
Par-don me, but I got-ta run, the fact's un-com-mon-ly clear.
mf
Par-don me, but I got-ta run, the fact's un-com-mon-ly clear.
mf

45
Got-ta find who's now "Num-ber One" and
Dm E7(♭9) Dm/F G9
48
why my An - gel Eyes ain't here.
E7(♭5) Aaug A♭(♭5) G9(♭5)

50
'Scuse me while I dis - ap - pear,
'Scuse me while I dis - ap - pear,
Cm11
F13
F9
B♭maj7
G9
dim.
52
p
dim.
senza rit.
'Scuse me while I dis - ap - pear.
'Scuse me while I dis - ap - pear.
'Scuse me while I dis - ap - pear.
'Scuse me while I dis - ap - pear.
N.C.
p
senza rit.
pp

Dream A Little Dream

Words by Gus Kahn Music by Wilbur Schwandt & Fabian Andre
arr. Berty Rice

7
Ooh
Night bree - zes seem to whis - per, "I love you,"
Ooh
Ooh
G/B
B♭dim7
E7/B
D dim7
9
Ooh
Ooh
birds sing - ing in the sy - ca - more tree,
Ooh
Ooh
Ooh
Ooh
Am/C
Cm(♯6)

11
"dream a lit - tle dream of me."
p
"dream a lit - tle dream of me."
"dream a lit - tle dream of me."
"dream a lit - tle dream of me."
G/D
Em7
Am7
D7
13
Ooh
mf
Say, "Night - y night," and kiss me.
Ooh
Ooh
G
B♭dim7
Am7
D7

15
Ooh
Just hold me tight and tell me you'll miss me.
Ooh
Ooh
G/B
B♭dim7
E7/B
D dim7
17
cresc.
Ooh
Ooh
While I'm a - lone and blue as can be,
cresc.
Ooh
Ooh
cresc.
Ooh
Ooh
Am/C
Cm(♯6)
cresc.

n a lit - tle dream of me.
dream a lit - tle dream of me.
mf
dream a lit - tle dream of me.
mf
dream a lit - tle dream of me.
G/D
E♭7
D7
G
G7
Dm/A
G7/B
mf
21
f
Stars fad - ing, but I ling - er on, dear,
mf
Ah
mf
Ah
mf
Ah
Cm

23
still crav - ing your kiss.
Still crav - ing your kiss.
Still crav - ing your kiss.
Still crav - ing your kiss.
25
I'm long - ing to lin - ger till dawn, dear,
f
I'm long - ing to lin - ger till dawn, dear,
f
I'm long - ing to lin - ger till dawn, dear,
f
I'm long - ing to lin - ger till dawn, dear,

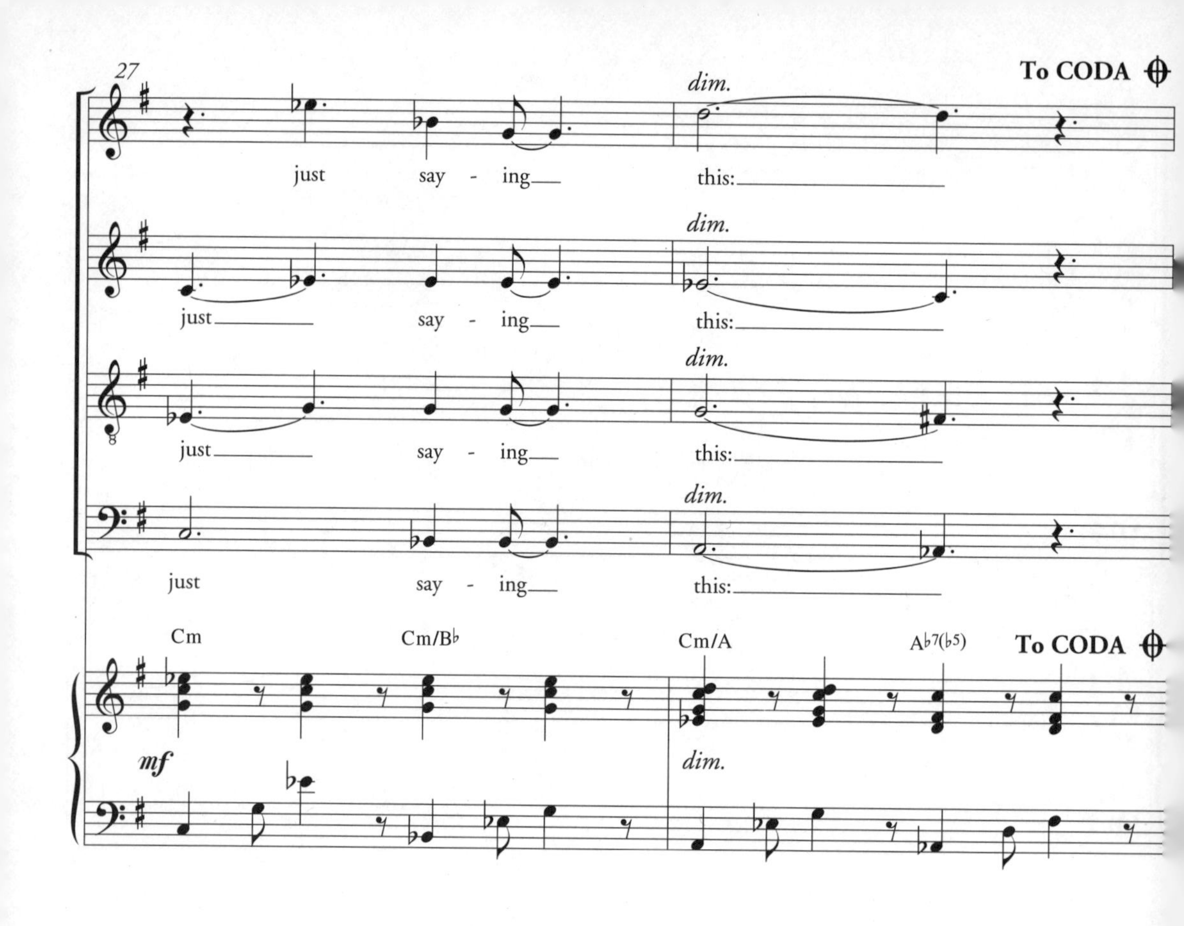

27
To CODA
dim.
just say - ing this:
dim.
just say - ing this:
dim.
just say - ing this:
dim.
just say - ing this:
Cm
Cm/B♭
Cm/A
A♭7(♭5)
To CODA
mf
dim.

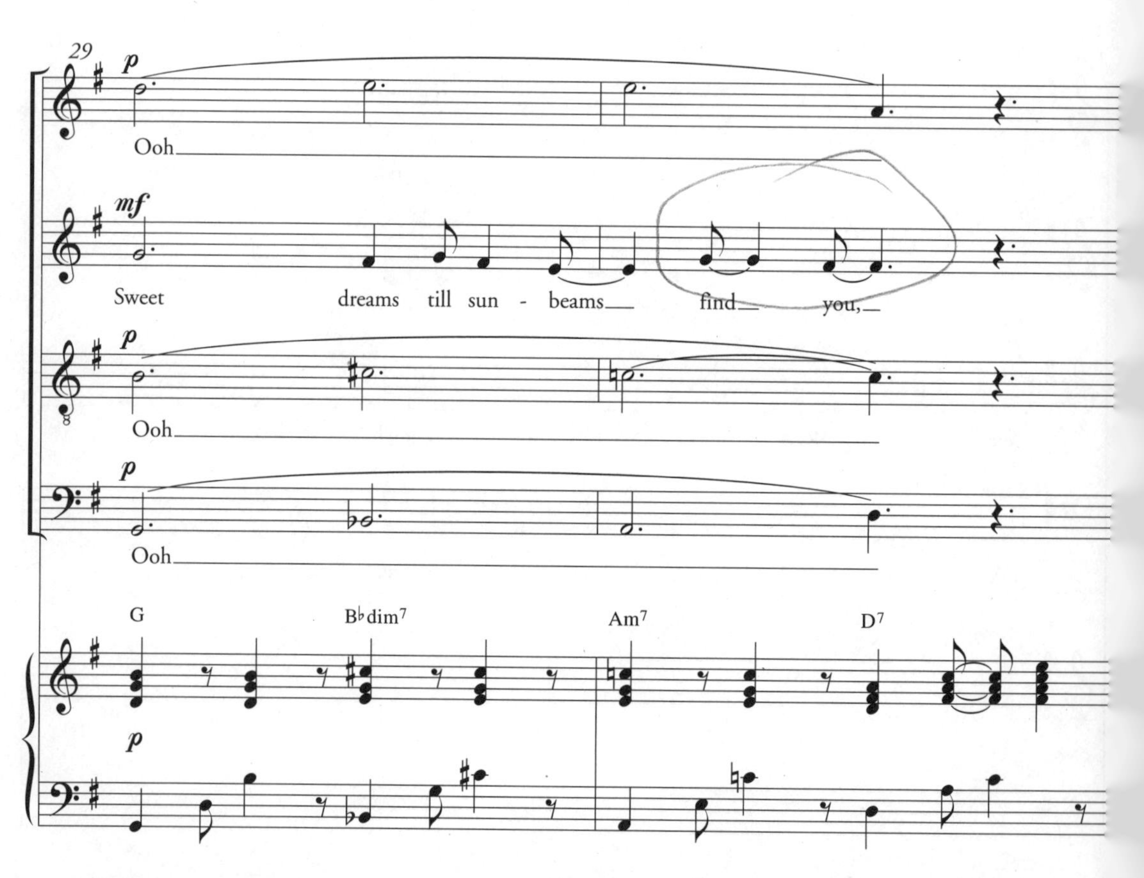

29
p
Ooh
mf
Sweet dreams till sun - beams find you,
p
Ooh
p
Ooh
G
B♭dim7
Am7
D7
p

31
Ooh
sweet dreams that leave all wor - ries be - hind you,
Ooh
Ooh
G/B
B♭dim7
E7/B
D dim7
33
Ooh
Ooh
but in your dreams what - ev - er they be,
Ooh
Ooh
Ooh
Ooh
Am/C
Cm(♯6)

35
D.𝄋 al Coda
dream a lit - tle dream of me.
p
dream a lit - tle dream of me.
p
dream a lit - tle dream of me.
p
dream a lit - tle dream of me.
D.𝄋 al Coda
G/D E♭7 D7 G G7 Dm/A G7/B
CODA
37
mf
Sweet dreams till sun - beams find you,
mf
Sweet dreams till sun - beams find you,
mf
Sweet dreams till sun - beams find you,
mf
Sweet dreams till sun - beams find you,
G B♭dim7 Am7 D7
mf

39
poco cresc.
sweet dreams that leave all wor - ries — be - hind you, —
G/B
B♭dim7
E7/B
D dim7
41
f
what - ev - er they — be, —
but in your dreams what - ev - er they — be, —
dim.
what -
Am/C
Cm(♯6)

43
dim.
p
dream a lit - tle dream
ev - er they be,
dream a lit - tle dream
F7
G/D
Eb7/Db
C7
45
of me.
Da da da da da
of me
da da da da da
mp
Bbm7
Am7
Am7/D
D7(b9)
G
Bm7
mf espress.

47
da da da da da da da
Am7
D/C
G/B
Em7
49
dim.
da da da.
Am7
D13(♭9)(♯11)
Gmaj9
poco rit.

God Bless The Child

Words & Music by Arthur Herzog Jr. & Billie Holiday
arr. Berty Rice

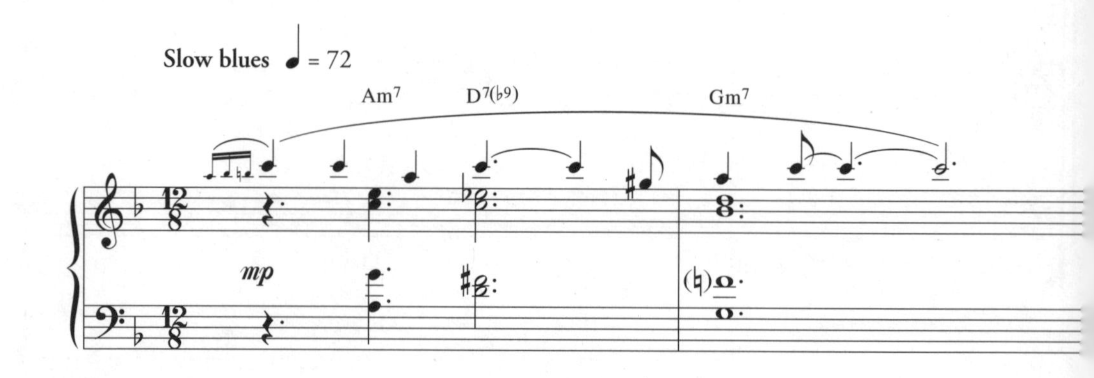

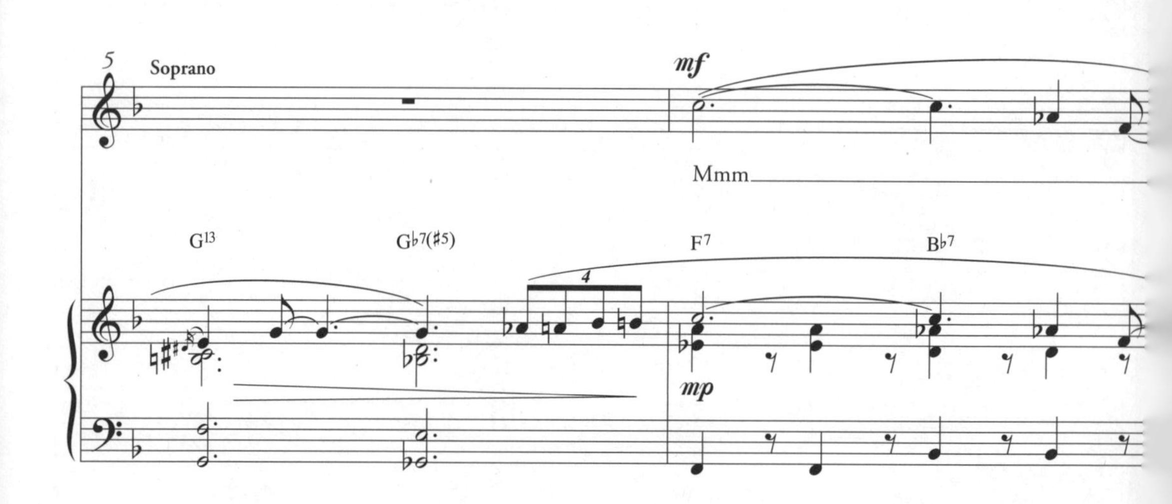

7
Mmm
Alto
Tenor
Bass
F7
B♭7
F7
B♭7
9
Them that's
got shall get, them that's
strong gets more, while the
p
Doo doo doo doo
p
Doo doo doo doo
p
Doo doo doo doo
F7
B♭7
F7
B♭7

11
not shall lose, so the Bi - ble said, and it
weak ones fade, emp - ty pock - ets don't e - ver
doo doo doo doo doo doo doo doo
doo doo doo doo doo doo doo doo
doo doo doo doo doo doo doo doo
F7 B♭7 Cm7 F7

13
cresc.
still is news;
make the grade;
Ma - ma may have,
mf
doo doo doo doo
Ma - ma may have,
doo doo doo doo doo
Ma - ma may have,
doo doo doo doo
Ma - ma may have,
Cm7 G♭7(♭5) F7 B♭

15
f
Pa - pa may have, but God bless the child that's
Pa - pa may have, but God bless the child,
Pa - pa may have, but God bless the child,
Pa - pa may have, but God bless the child,
B♭m
Am7
D7(♭9)
17
dim.
got his own, that's got his own.
God bless the child, God bless the child,
God bless the child, God bless the child,
God bless the child,
Gm7
C7(♭5)
F7
B♭7

19
1.
2.
mf
Yes, the
God bless the child,
God bless the child,
F7
B♭7
B♭7/E
E9
Cm/A
A7
molto cresc.
21
f
Mo - ney, you got lots o' friends,
Dm
Aaug
Dm7
Dm6
f con ped. ad lib.

23
crowd - in' round the door.
Am Eaug Am/C C♯dim7
25
When you're gone and spend - in' ends,
When you're gone and spend - in' ends,
When you're gone and spend - in' ends,
When you're gone and spend - in' ends,
Dm Aaug Dm7 Dm6

27
dim.
mf
They don't come no more. Rich re-
They don't come no more.
They don't come no more.
They don't come no more.
Am D9 G7 C7
29
-la - tions give crust of bread and such. You can
p
Doo doo doo doo doo doo doo doo
F7 B♭7 F7 B♭7

31
help your - self, but don't take too much!
doo doo doo doo doo doo doo doo
doo doo doo doo doo doo doo doo doo
doo doo doo doo doo doo doo doo
Cm7 F7 Cm7 G♭7(♭5) F7
33
cresc.
Ma - ma may have, pa - pa may have, but
mf
Ma - ma may have, pa - pa may have, but
Ma - ma may have, pa - pa may have, but
M - ma may have, pa - pa may have, but
B♭ B♭m

35
God bless the child that's got his own, that's
God bless the child, God bless the child,
God bless the child, God bless the child,
God bless the child, God bless the child,
Am D7(♭9) Gm7 C7(♭9)
37
dim.
got his own.
dim.
God bless the child, God bless the child,
dim.
God bless the child, God bless the child,
F7 B♭7 F7 B♭7
dim.

39
cresc.
God bless the child, God bless the child that's got his
cresc.
God bless the child, God bless the child that's got his
cresc.
God bless the child, God bless the child that's got his
cresc.
God bless the child, God bless the child that's got his
F7
B♭7
F7
B♭7
cresc.
41
dim.
own.
dim.
own. God bless the child.
dim.
own. God bless the child.
dim.
own. God bless the child.
F7
B♭7
F7
B♭7
dim.

43
Mmm
Mmm
Mmm
Mmm
F7
B♭7
F7
B♭7
45
pp
Mmm
Mmm
pp
Mmm
Mmm
pp
Mmm
Mmm
pp
Mmm
Mmm
F7
B♭7
F7
B♭7
F13
(arpeggiate up and down)

Quiet Nights Of Quiet Stars (Corcovado)

Original Words & Music by Antonio Carlos Jobim
English Words by Gene Lees & Buddy Kaye
arr. Berty Rice

13

— et stars,
qui - et chords from my — gui - tar
A♭dim7

16
float - ing on the si - lence that — sur - rounds — us. —
Gm7
G♭7(♯9)
F6

19
Alto
mp
Qui - et thoughts and qui - et dreams, —
Fm7
mp

22
cresc.
qui - et walks by qui - et streams,
and a win-dow look -
Em7
A7(♯5)
D9
cresc.

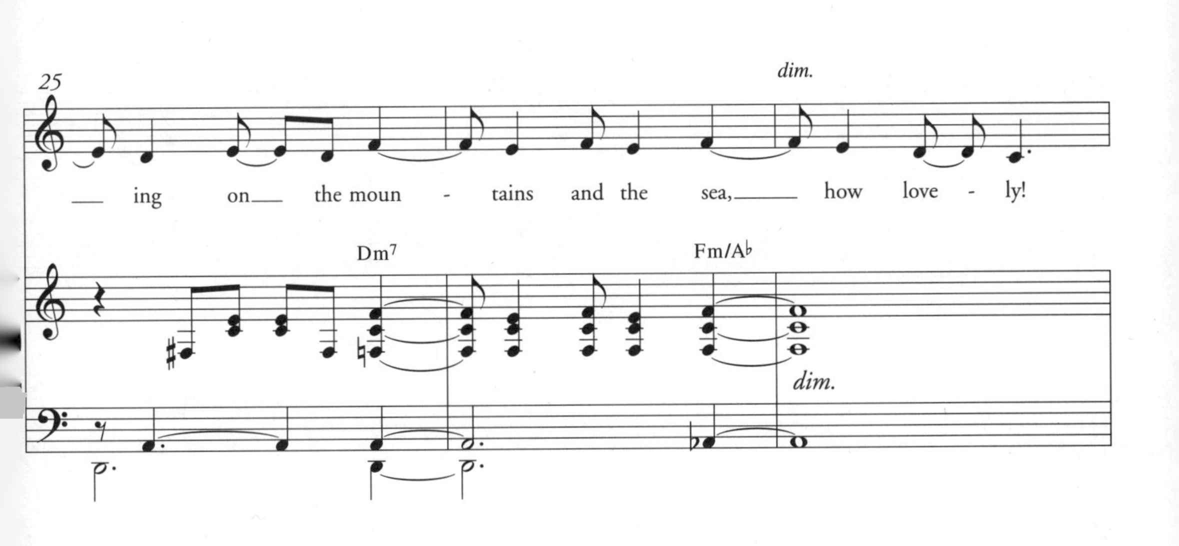
25
dim.
ing on the moun - tains and the sea, how love - ly!
Dm7
Fm/A♭
dim.

28
mp
This is where I want to be, here, with you so close
mp
This is where I want to be, here, with you so close
Am(♯6)
A♭dim7
mp

31
Soprano
Alto
to me, un - til the fin - al flick - er of life's em -
Tenor
Bass
to me, un - til the fin - al flick - er of life's em -
Gm7
G♭7(♯9)
cresc.
34
mf
I, who was lost and
ber.
I, who was lost and
I, who was lost and
ber.
I, who was lost and
F6
Fm7
mf

37
lone - ly, be - liev - ing life was on - ly
lone - ly, be - liev - ing life was on - ly
lone - ly, be - liev - ing life was on - ly
lone - ly, be - liev - ing life was on - ly
Fm
Em7
Am7
40
a bit - ter, tra - gic joke, have found with you
a bit - ter, tra - gic joke, have found with you
a bit - ter, tra - gic joke, have found with you
a bit - ter, tra - gic joke, have found with you
Dm7
G7(♭9)
F13
Em7

43
the mean-ing of ex - ist-ence, oh my love.
the mean-ing of ex - ist-ence, oh my love.
the mean-ing of ex - ist-ence, oh my love
the mean-ing of ex - ist-ence, oh my love
E♭9/A
Dm7
G7(♭9)
46
Aaug
F♯aug

49
E aug
52
p con portamento sempre
ooh
ooh
p con portamento sempre
ooh
ooh
mf
Qui - et nights of qui - et stars,
qui - et chords from my
Am(♯6)
A♭dim7
mp

55
ooh
ooh
gui - tar
float - ing on the si - lence that sur - round
Gm7
G♭7(♯9)
58
ooh
mf
Qui - et thoughts and qui -
ooh
us.
F6
Fm7

61
ooh
- et dreams,
qui - et walks by qui - et streams,
ooh
Em7
A7(♯5)
64
ooh
cresc.
and a win-dow look - ing on the moun - tains and the sea,
ooh
D9
Dm7
Fm/A♭
cresc.
dim.

67
ooh
dim.
mf
how love - ly! This is where I want to be,
ooh
mf
This is where I want to be,
Am(♯6)
70
ooh
cresc.
ooh
cresc.
here, with you so close to me, un - til the fin - al
ooh
cresc.
ooh
cresc.
here, with you so close to me, un - til the fin - al
A♭dim7
Gm7
cresc.

73
flick - er of life's em - ber.
flick - er of life's em - ber.
G♭7(♯9)
F6
76
f
I, who was lost and lone - ly,
I, who was lost and lone - ly, be - liev - ing life was
I, who was lost and lone - ly, be - liev - ing life was
I, who was lost and lone - ly,
Fm7
Fm
Em7

79
dim.
be - liev-ing life was on - ly a bit-ter, tra-gic joke, have found_ with you_
on - ly_ a bit-ter, tra-gic joke, have found_ with you_
on - ly_ a bit-ter, tra-gic joke, have found_ with you_
be - liev-ing life was on - ly a bit-ter, tra-gic joke, have found_ with you_
Am7
Dm7
G7(♭9)
F13
dim
82
the mean-ing of ex
Em7
E♭9/A
Dm7

85
- ist - ence, oh my love.
- ist - ence, oh my love.
- ist - ence, oh my love.
- ist - ence, oh my love.
G7(♭9)
Am(♯6)
A♭dim7
come prima
88
Gm7
C9
F/C
91
B♭7
Em7
Am7/E
94
D13(♯11)/A
G7(♭9)
C6
dim. e rit.

Satin Doll

Words by Johnny Mercer Music by Duke Ellington & Billy Strayhorn
arr. Berty Rice

6
doo doo doo doo doo doo doo doo doo doo doo doo
doo doo doo doo doo doo doo doo doo doo doo doo
doo doo doo doo doo doo doo doo doo doo doo doo
which wigs me o - ver her shoul - der, she digs me
Dm7 G7 Em7 A7 Em7 A7
9
doo doo doo doo doo doo doo doo doo ba ba bap bap
doo doo doo doo doo doo doo doo doo ba ba bap bap
doo doo doo doo doo doo doo doo doo ba ba bap bap
Out cat - tin' that Sa - tin doll. bap
Cm7 F7 E♭7/B♭ D♭7 C/G Bm7(♭5)
f

12
mf
— bap ba ba ba ba - by shall we— go—
— bap ba ba ba ba - by shall we— go—
— bap ba ba ba ba - by shall we— go—
— bap ba ba ba dm dm dm dm
Em7 A13(♭9) Dm7 G7
14
out— skip - pin'— care - ful a - mi - go,—
out— skip - pin'— care - ful a - mi - go,—
out— skip - pin'— care - ful a - mi - go,—
doo be doo - wah— be doo be dm dm dm dm
Dm7 G7 Em7 A7

16
you're flip - pin' Speaks La - tin,
you're flip - pin' Speaks La - tin,
you're flip - pin' Speaks La - tin,
doo be doo - wah be doo be dm dm dm dm
Em7 A7 Am7(♭5) D7
18
my sa - tin doll.
my sa - tin doll.
my sa - tin doll.
doo be doo wah be doot doot v dm dm dm
A♭m9 D♭13 A6

20
mp
ooh
mp
ooh
mp
ooh
mf
dm dm dm She's no - bo-dy's fool, so I'm play - ing it cool as can be,
F6 Dm9 Gm7/C C7
mp
23
ba ba bap bap ba ba ba bap ba
ba ba bap bap ba ba ba bap ba
ba ba bap bap ba ba ba bap ba
I'll
Fmaj9 F6/C Fmaj9 Fmaj7

25
ooh
ooh
ooh
give it a whirl, but I ain't for no girl catch - ing me.
Am7/D
D7
27
f
ba ba bap ba bap
p
Te - le-phone num - bers,
mp
Switch - e - roo - ney
dm dm dm dm
Dm7
G13
Dm7
G7

30
poco a poco cresc.
well, you know, doing my rhum - bas
doo be doo - wah be doo be dm dm dm dm
Dm7 G7 Em7 A7
32
f
with u - no, And that 'n'
doo - be - doo - wah be doo be dm dm dm dm
Em7 A7 Am7(♭5) D7

34
my Sa - tin doll.
my Sa - tin doll.
my Sa - tin doll.
doo be doo - wah be doot
dim.
doot v dm dm dm dm dm doo be doo - wah
A♭m9
D♭13
C6
37
mp
ba ba ba bap bap ba ba bap bap
mp
ba ba ba bap bap ba ba bap bap
mp
ba ba ba bap bap ba ba bap bap
mp
ba ba bap bap ba ba bap bap
Cmaj7
C6
Bm7(♭5)
Em7
F6
mp

39
cresc.
— bap ba ba bap ba— doop doo be doop doo be
— bap ba ba bap ba— doop doo be doop doo be
— bap ba ba bap ba— doop doo be doop doo be
— bap ba ba bap dm dm chm dm chm dm chm
Dm7
Gaug(♯9)
42
doo be doo - wah— doop do be doop doo be doo be doo - wah—
doo be doo - wah— doop do be doop doo be doo be doo - wah—
doo be doo - wah— doop do be doop doo be doo be doo - wah—
dm f chm dm ba dm ba dm chm dm chm dm chm dm ba chm

45
poco f
ba bap bap bap bap shap doo - wah
poco f
ba bap bap bap bap shap doo - wah
poco f
ba bap bap bap bap shap doo - wah ba ba bap bap
poco f
dm ba bap bap bap bap shap doo - wah dm dm dm
Gm7 B♭maj7/C F6 B♭maj9 E♭6 A♭maj9 D♭9 G7(♯5) C6
poco f
48
doo doo doo doo doo
doo doo doo doo doo
bap ba ba bap ba doo be doot doo be doot doo be doo - wah
dm dm dm dm dm chm dm chm dm chm dm chm
F6 Em7 Dm7 G7/B F/G G7/B
mp

51
f
doo doo doo doo ba bap bap
doo doo doo doo ba bap bap
doo be doot doo be doot doo be doo - wah ba bap bap
dm chm dm chm dm chm dm chm dm ba bap bap
Em7 A7/C♯ G/A A7/C♯ E♭6 D7/A D7
54
dim.
bap bap shap doo - wah doo - wah doo - wah
bap bap shap doo - wah doo - wah doo - wah
bap bap shap doo - wah doo - wah doo - wah
bap bap shap doo - wah doo - wah doo - wah
A♭6 D♭9 G7(♯5) C6 G7(sus4)

56
mf
He's no - bo - dy's fool, so I'm
mp
doo - wah doo doo
mp
doot doot doot doot
mp
doo - wah doot doot doot doot
Cmaj9
C6/G
Gm7
C7
mp
58
play - ing it cool as can be.
mf
doo doo he's no - bo - dy's fool, so I'm
doot doot doot doot doot doot doot doot
doot doot doot doot doot doot doot doot
Gm7
C7
F/C
F6

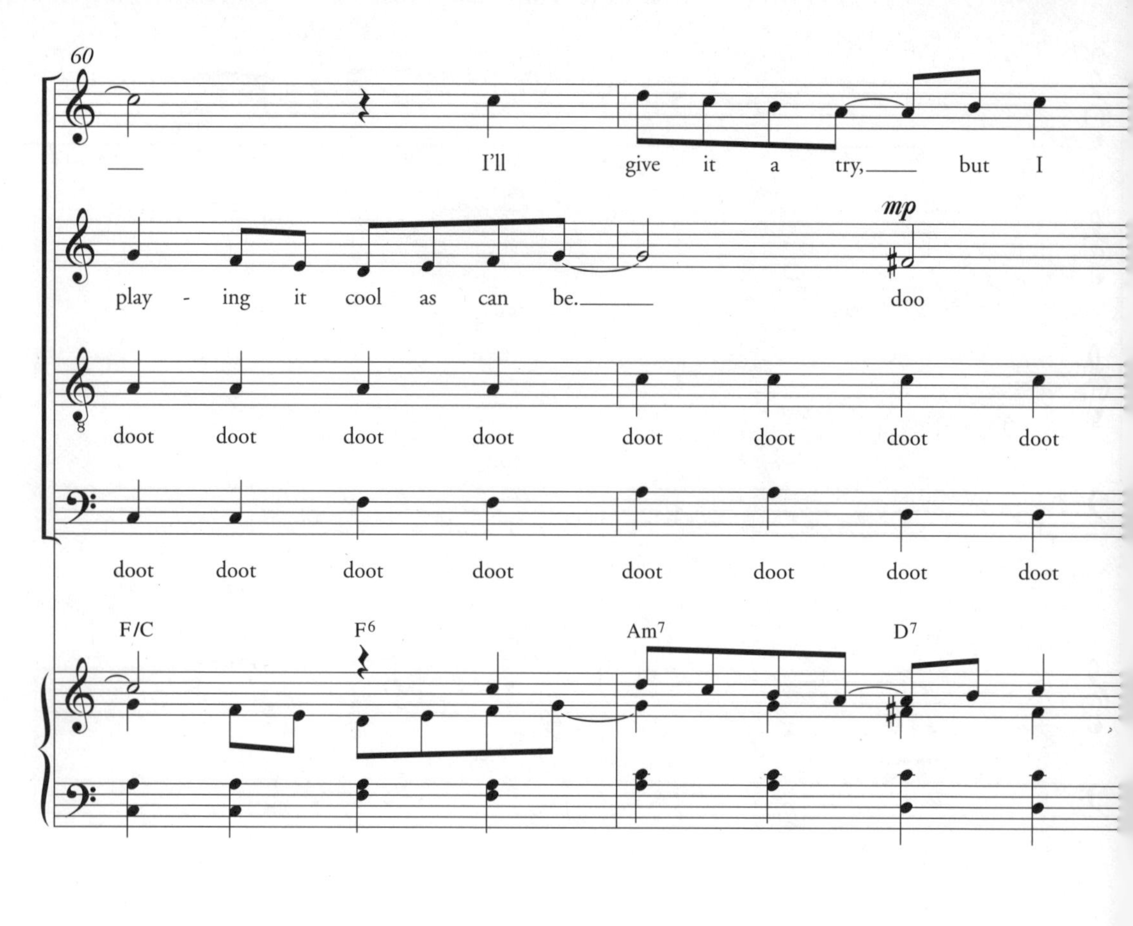
60
I'll give it a try, but I
mp
play - ing it cool as can be.
doo
doot doot doot doot doot doot doot doot
doot doot doot doot doot doot doot doot
F/C
F6
Am7
D7

62
ain't for no guy catch - ing me.
f
doo doo bap bap bap ba
f
doot doot doot doot bap bap bap ba
f
doot doot doot doot bap bap bap ba
Am7
D7
A♭13
f

64
p
Te - le - phone num - bers,
bap switch - e - roo - ney
p
Te - le - phone num - bers,
bap switch - e - roo - ney
p
Te - le - phone num - bers,
bap switch - e - roo - ney
p
dm dm dm dm
G9
pp
Dm7
G7
66
cresc.
well, you know,
mp
do - ing my rhum - bas
cresc.
well, you know,
mp
do - ing my rhum - bas
cresc.
well, you know,
mp
do - ing my rhum - bas
cresc.
doo be doo - wah be doo be
mp
dm dm dm dm
Dm7
G7
cresc.
Em7
A7
mp

68
mf
with u - no And that 'n'
doo be doo - wah be doo be dm dm dm dm
Em7
A7
Dm9
70
cresc.
my Sa - tin doll, oh yeah
dm dm dm dm dm dm dm dm
G7
Em7(♭5)/B♭

72
ff
Out - cat - tin' my Sa - tin doll,
Out - cat - tin' my Sa - tin doll,
Out - cat - tin' my Sa - tin doll,
dm dm dm dm dm dm dm dm dm dm dm dm
Am7(♯5)
Dm9
G
G13
75
yeah.
yeah.
yeah.
v dm dm dm doo be doo - wah yeah.
C6